蹦！

文・圖 松岡達英　譯 蒲蒲蘭

青蛙……

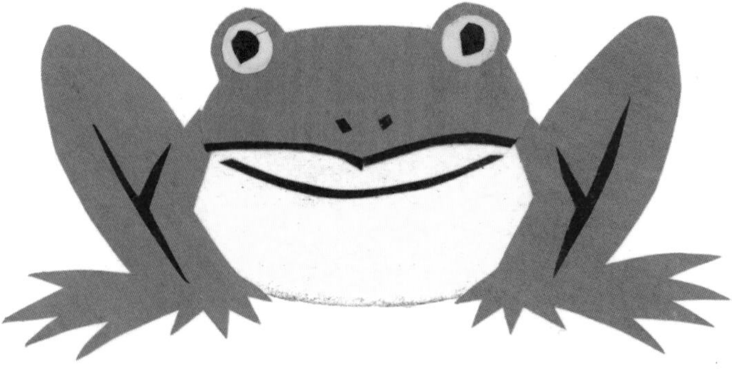

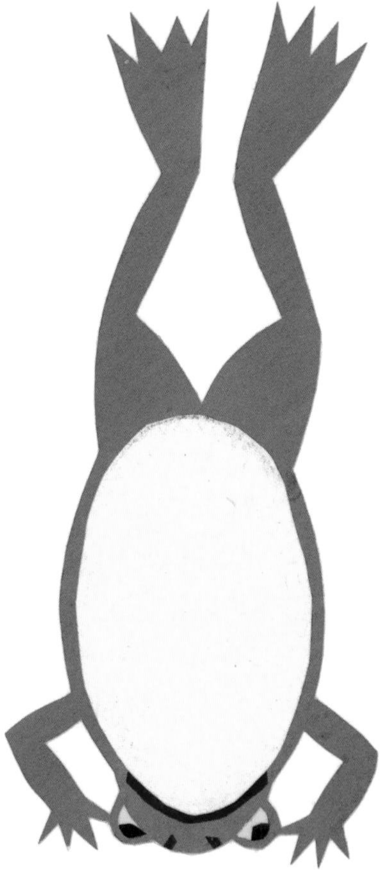

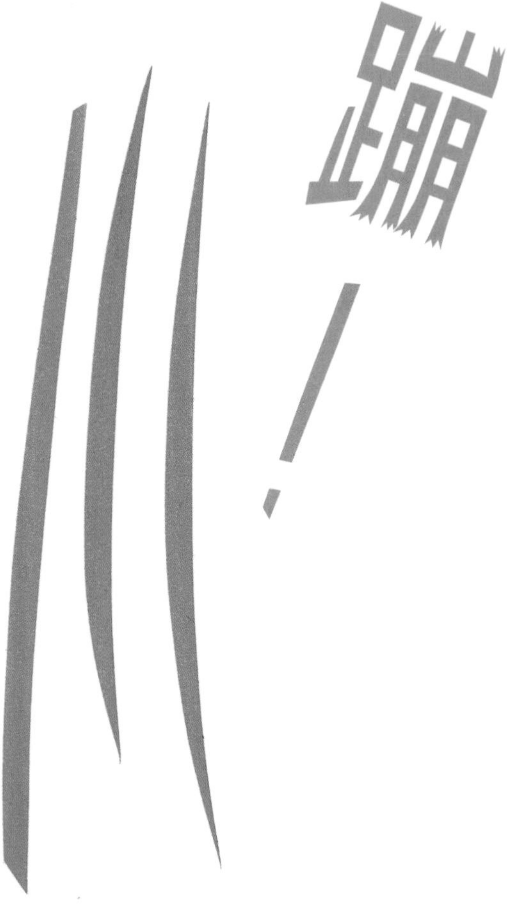
蹦！

貓咪……

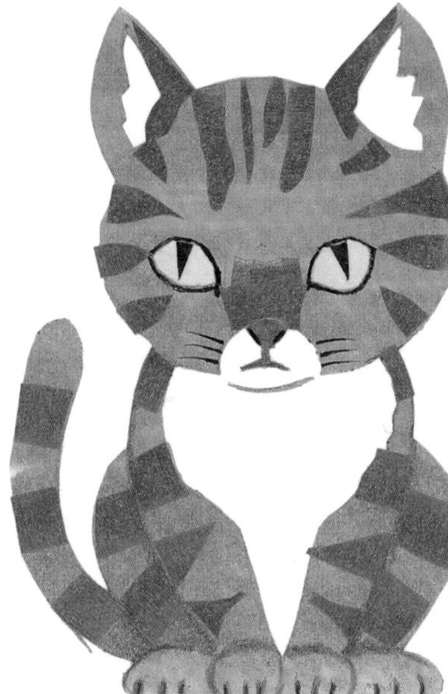

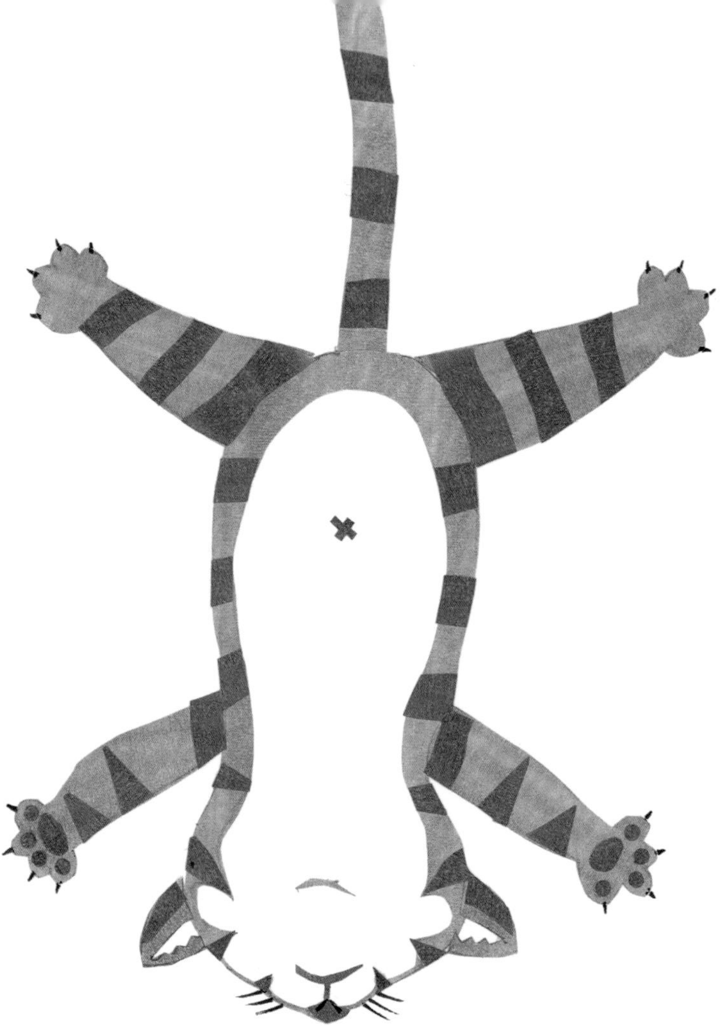

蹦！

小 狗……

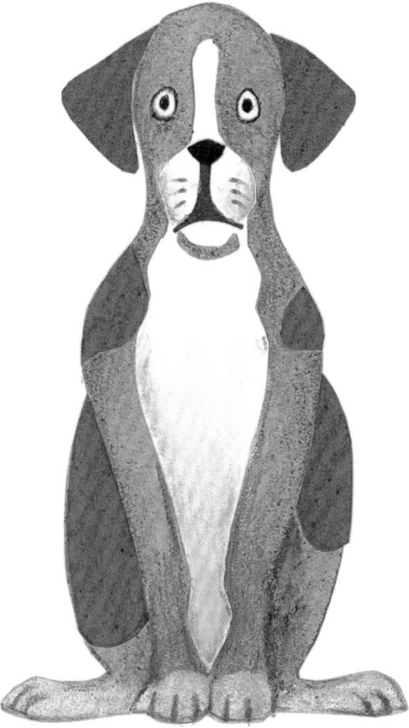

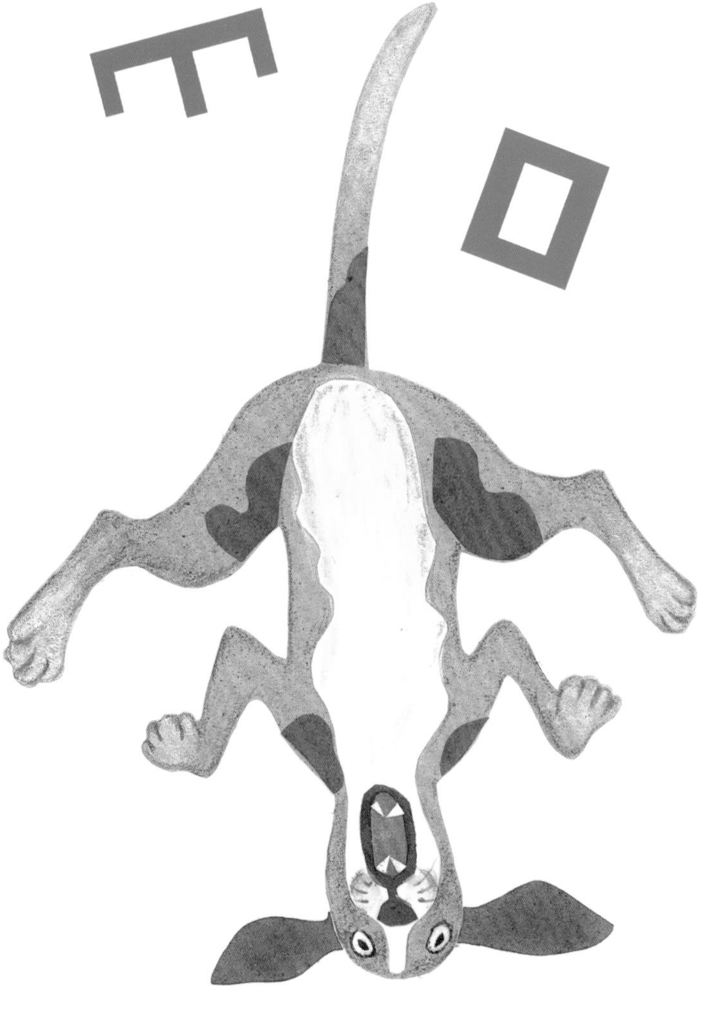

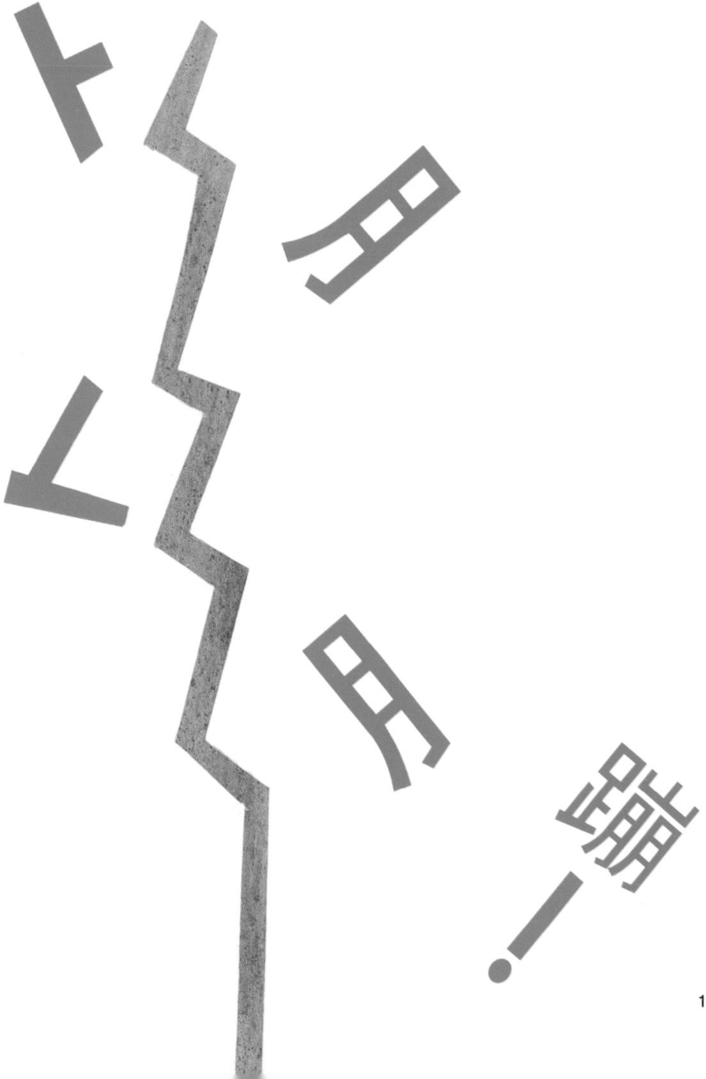
蹦!

蝗蟲……

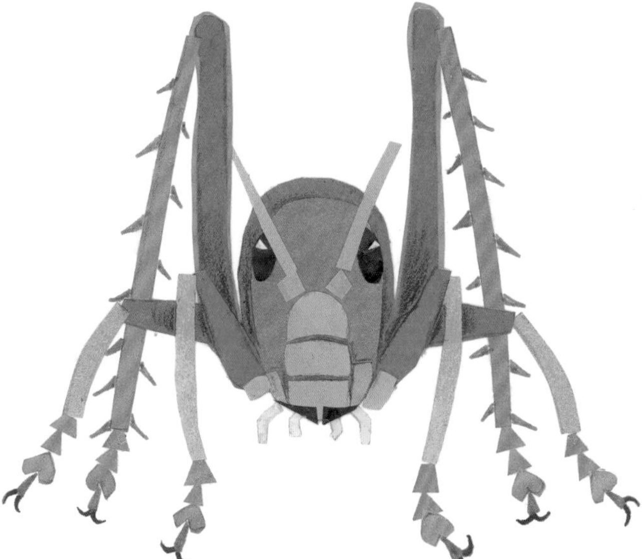

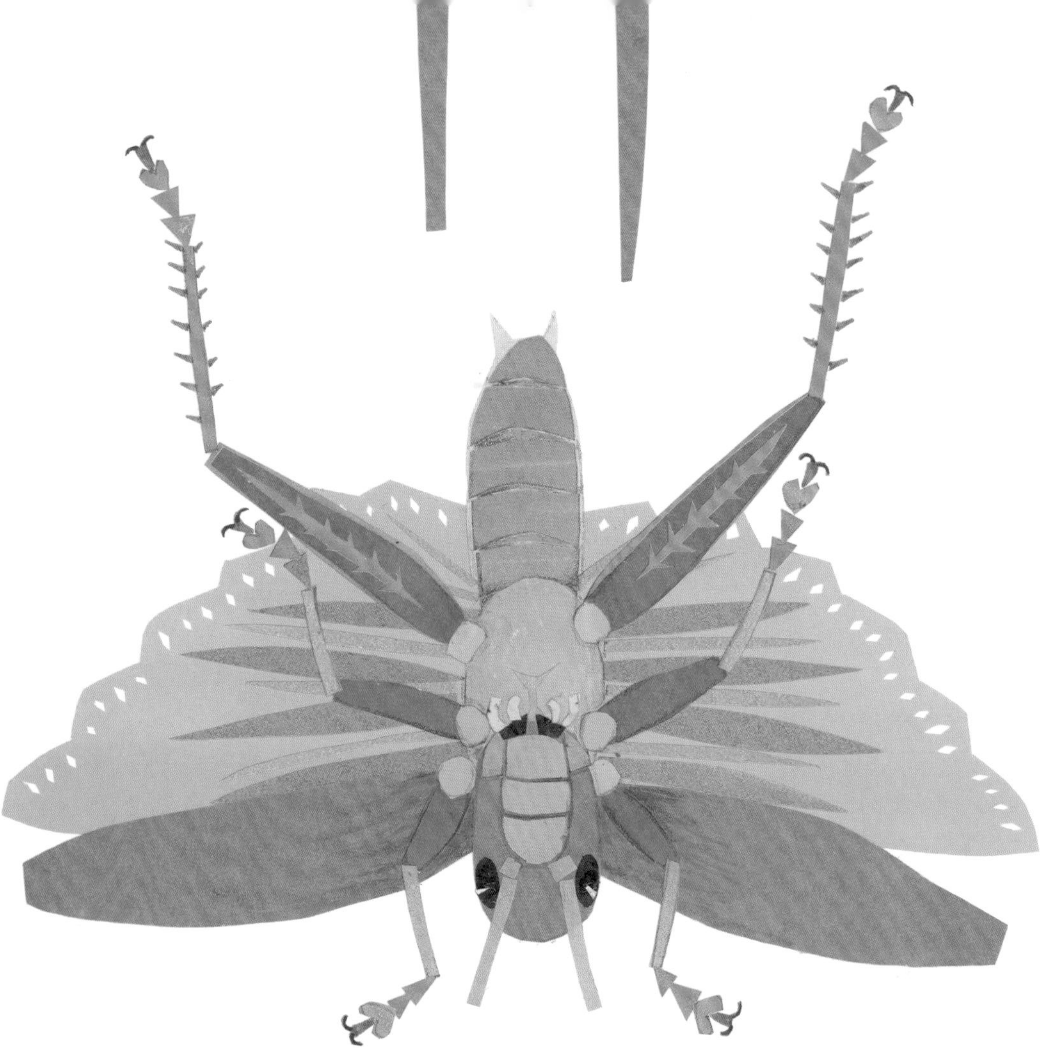

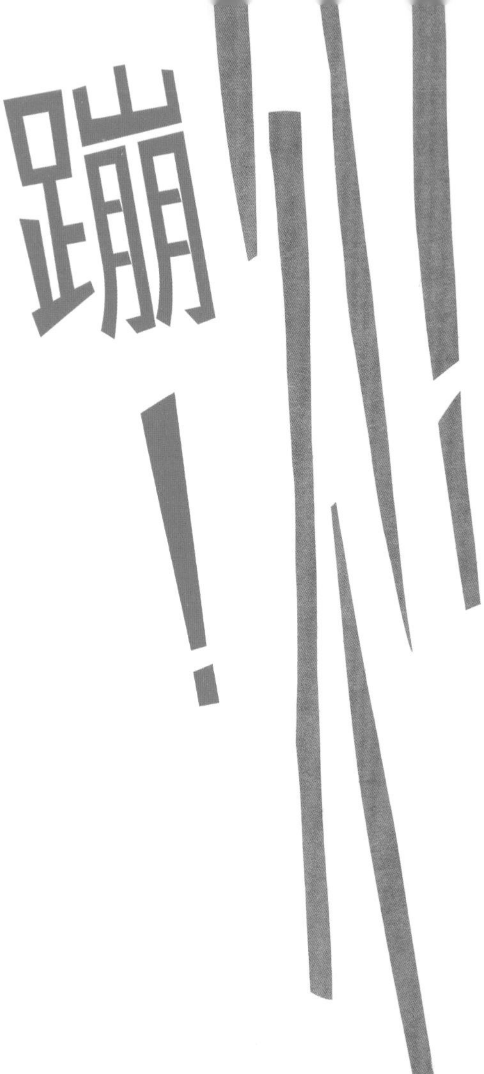
蹦！

小兔子……

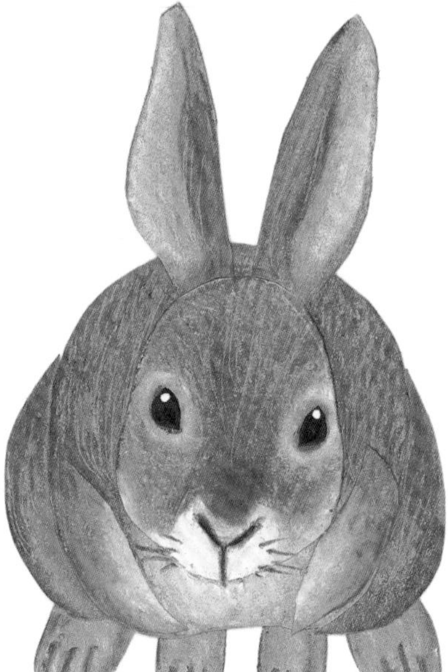

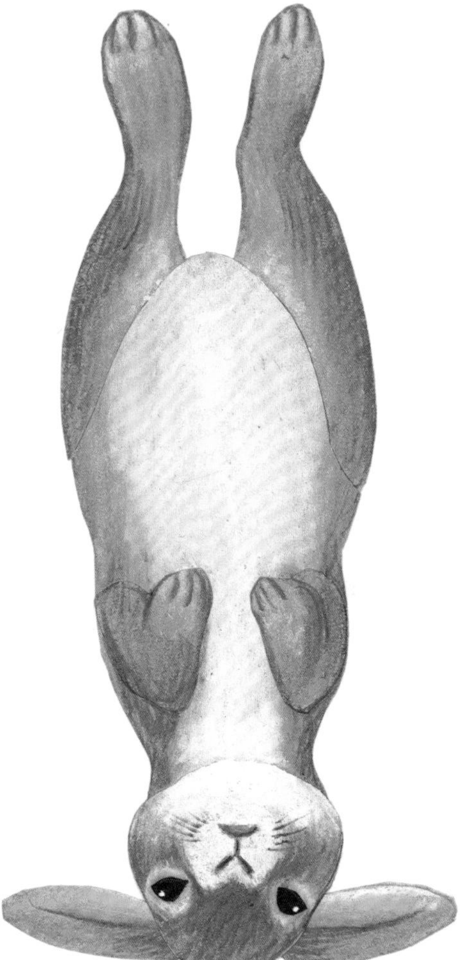

蹦～～！

蝸 牛……

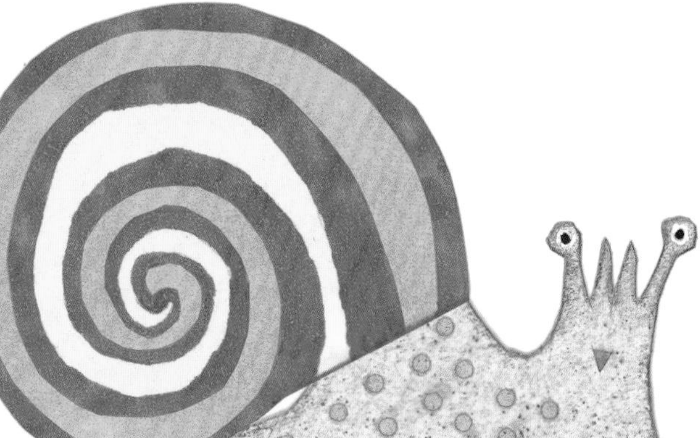

蹦不了……

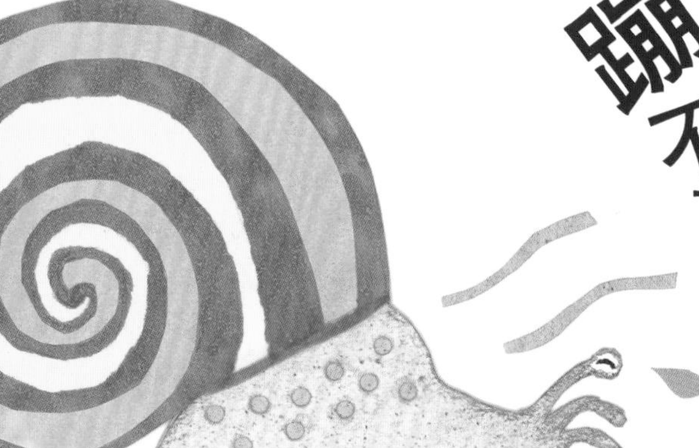

和媽媽一起……

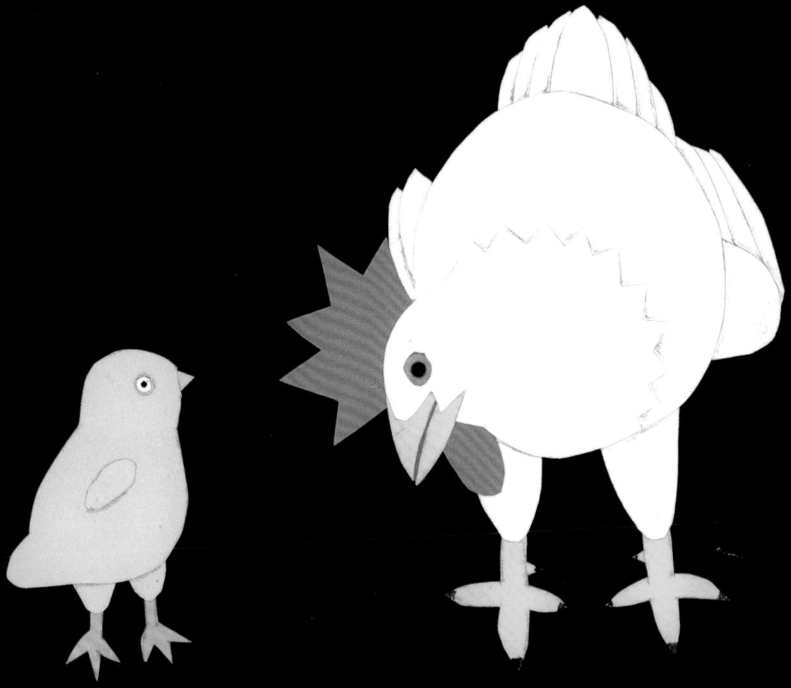

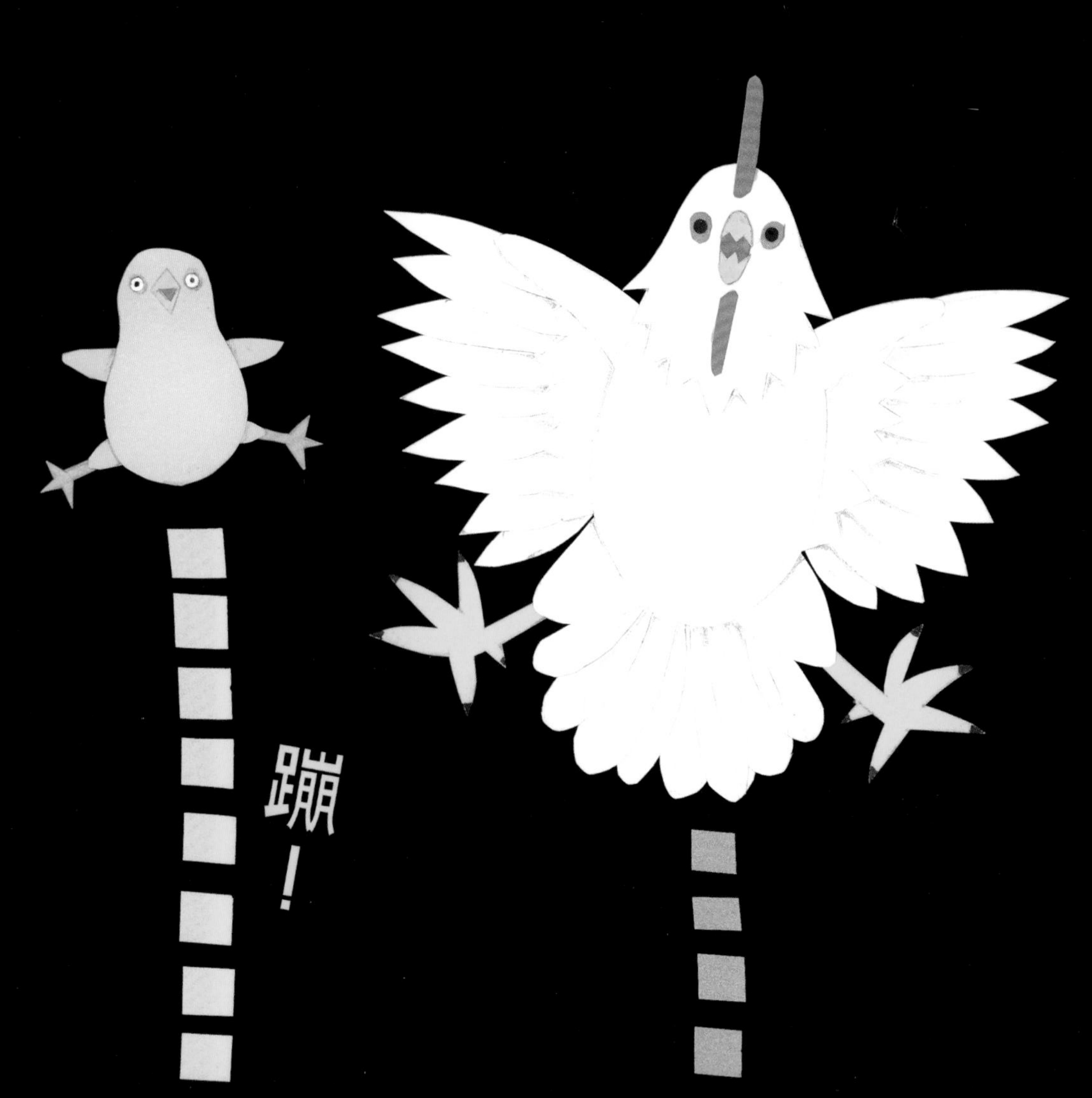
蹦！

……

……

蹦～？

魚……

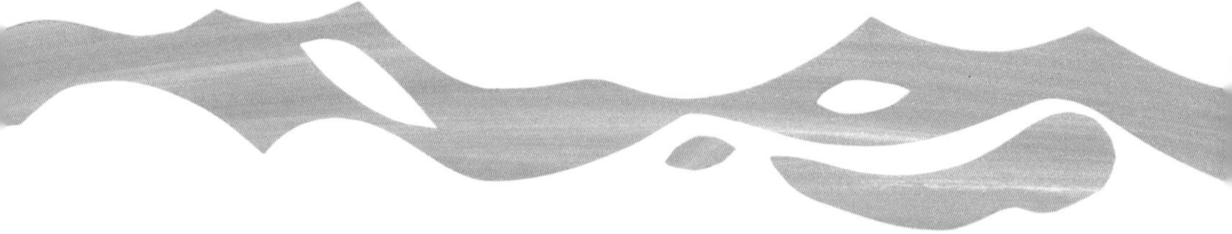

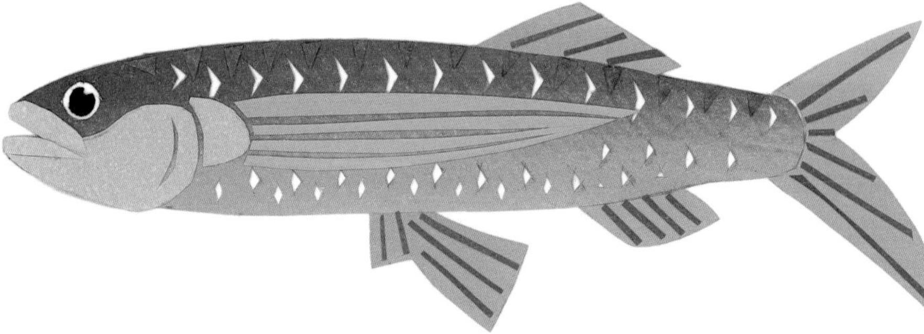

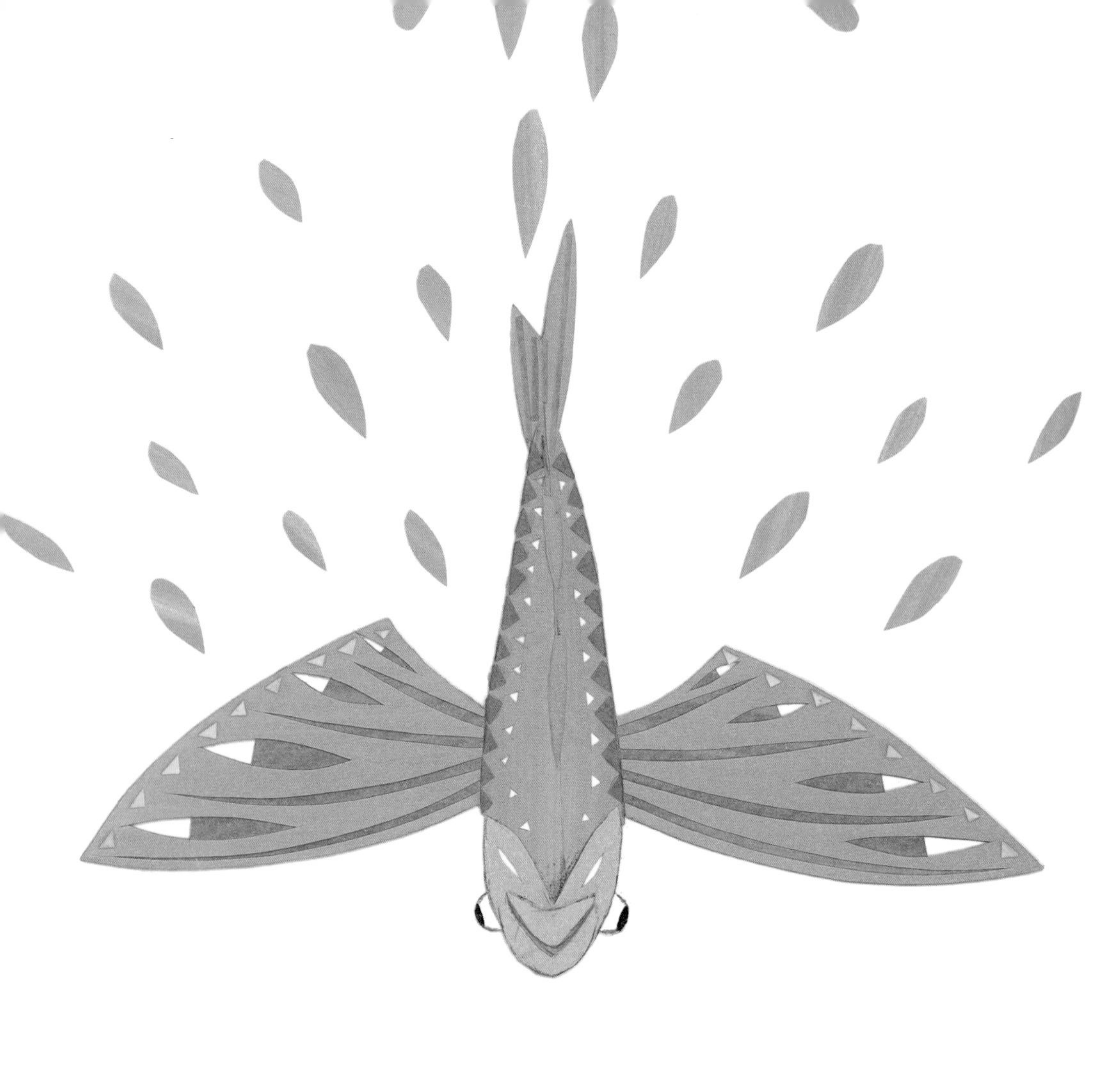

蹦！

我 也……

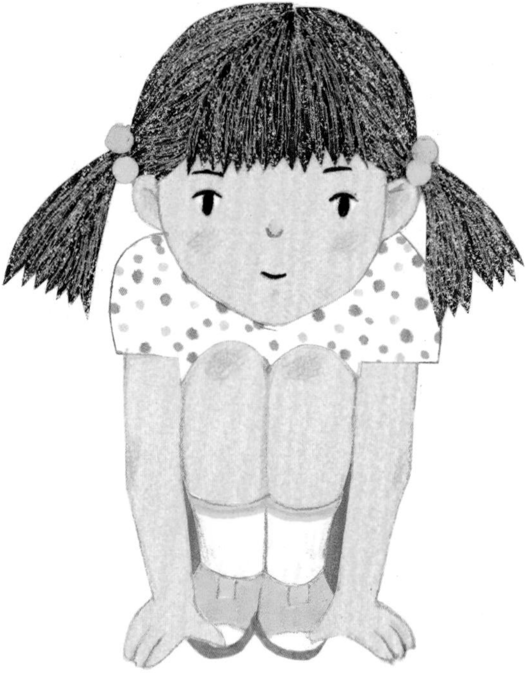

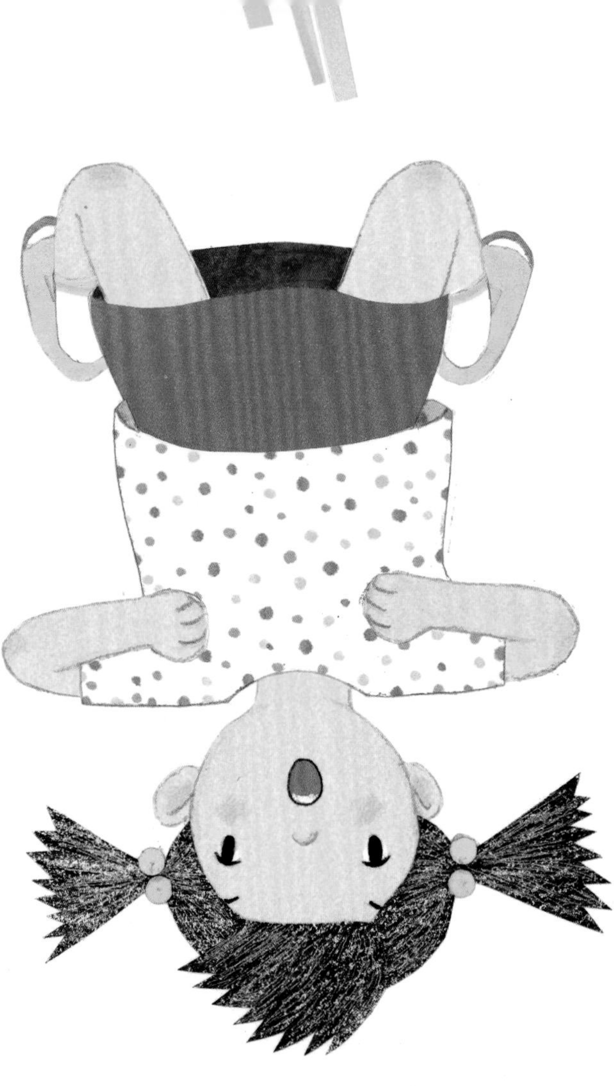

蹦！

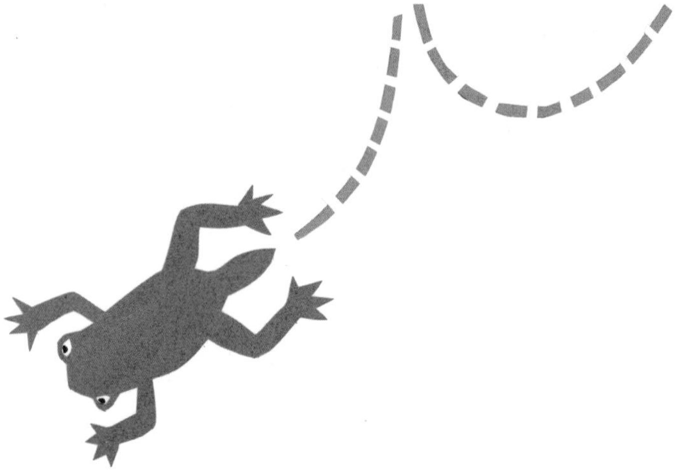